JPIC Chi Ende
Ende, Michael
Jiang gui /

34028072468300
FM ocn226304233
10/01/09

3 4028 07246 8300
HARRIS COUNTY PUBLIC LIBRARY

S0-ACS-074

恩德作品绘本

犟 龟

曼弗雷德·施吕特／图　　米切尔·恩德／文

威尔弗里德·希勒／谱曲　　何　珊／译

二十一世纪出版社
21st Century Publishing House

这是一个美丽的早晨，天空阳光灿烂。乌龟陶陶正坐在她那舒适的小洞前，从从容容地吃着车前草的叶子。

她的头顶上是一棵古老的橄榄树。母鸽苏莱卡正坐在树上，梳理着自己闪闪发光的羽毛。这时，雄鸽萨罗莫飞了过来，频频弯腰向母鸽致意，嘴里不停地叫道："啊，苏莱卡，我的宝贝，你听说了吗？动物王国的最高首领——狮王二十八世要举行婚礼啦！他邀请我们前去参加庆典，我亲爱的！"

　　"我亲爱的丈夫，"苏莱卡娇滴滴地说道，"我们真的被邀请了吗？"

　　"别担心，我的心肝，"萨罗莫回答说，他又鞠了几个躬，"所有动物——大大小小、男女老少都被邀请了，其中当然也包括我们。结婚庆典一定会是最风光的。可是，我们得赶快，因为狮子洞路途遥远，而庆典不久就要开始啦。"

　　苏莱卡点了点头，马上和萨罗莫一道动身飞走了。

乌龟陶陶在一旁听见了他们的谈话，陷入了深思，连早餐都忘了吃完。

　　陶陶自言自语地说："如果所有动物——大大小小、男女老少都被邀请了，当然也包括我。我为什么不也去参加这有史以来最热闹的婚礼呢？"

　　想了整整一天一夜后，陶陶终于拿定主意，第二天一大早便上路了。她一步一步向前爬去，虽然很慢，却一直没有停下。

1. Schildkröten-Marsch

sehr langsam und beharrlich, Schritt für Schritt

Die Schild-kröt' krab-belt durch das Gras. Das
Wan-dern macht ihr gro - ßen Spaß. Und wenn sie ein - mal Hun*-ger hat, dann
frisst sie un - ter-wegs ein Blatt.

乌龟进行曲（之一）　　非常缓慢地、坚持不懈地、一步一步地

乌龟慢慢爬过草地，漫游让她快乐无比。

要是肚子有点儿饿，路上找一片树叶吃。

当她爬了几乎整整一天后，路过一片荆棘丛。蜘蛛发发在树丛中织了一张巨大的网。

"嘿，陶陶！"蜘蛛发发喊道，"如果不介意的话，你能告诉我，你这么急急忙忙去哪儿呀？"

"晚上好，发发！"陶陶回答说，她正好可以停下来歇一口气，"你知道，狮王二十八世，邀请所有的动物参加他的婚礼。我现在正往那儿赶呐。"

发发听完，用两只前腿抱着头，格格大笑，那巨大的蜘蛛网被她的笑声震得剧烈地颤动起来。

Spinnen-Tarantella

schnell und krabbelig

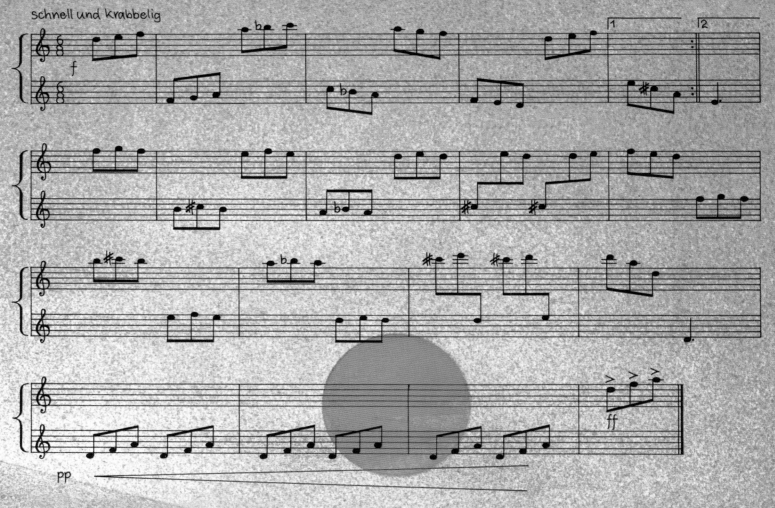

蜘蛛－塔兰台拉舞　欢快、敏感地

　　塔兰台拉舞为意大利一种轻快而热烈的民间舞蹈，该
曲供钢琴、两只笛子或两把小提琴演奏。

　　"噢，陶陶！"她终于忍住笑说，"你可是慢得出奇呀，怎么可能赶得上婚礼呢？"

　　陶陶满怀信心地看了看自己的腿——它们虽然短小，但很结实。她对发发说："我会准时赶到那里的。"

　　"陶陶！"发发充满同情地劝说道，"陶陶，连我都觉得路途太远了。可我的腿不但比你的灵巧，而且还多一倍呐。你还是清醒点儿吧！算啦，赶紧回家吧！"

　　"很遗憾，我不能这样，"陶陶友好地回答说，"我的决定是不可改变的。"

　　"不听他人言，吃亏在眼前！"说完，发发开始继续织起自己的网，看得出她有些不高兴。

　　"没错，"陶陶回答说，"那么，再见，发发。"

　　乌龟又吭哧吭哧地开始赶路了。蜘蛛发发幸灾乐祸地嘲笑道："那你可千万别跑太快了，要不你会到得太早的！"

　　但是，陶陶仍然坚定地继续往前赶路，越过种种障碍，穿过树林和沙地，日夜不停地赶路。

2. Schildkröten-Marsch

sehr langsam und beharrlich, Schritt für Schritt

Die Schild-kröt' geht im Re - gen gern spa-
zie - ren oh - ne Re - gen-scherm. Das Was*- ser-sprit - zen stört sie nicht, ihr
An - zug ist ja was*- ser-dicht.

乌龟进行曲（之二）

非常缓慢地、坚持不懈地、一步一步地

下雨天乌龟也出发，雨水打来她不害怕。
雨中散步也不带伞，壳儿是防雨好衣裳。

有一天，当她经过一个池塘时，想停下来喝点儿水。在一片常春藤的叶子上，蜗牛师师正瞪着双眼打量着她。

"你好！"陶陶客气地跟蜗牛打招呼。

过了好一会儿，蜗牛才明白过来。"我的天！"蜗牛慢慢悠悠地说，"你居然能爬这么快！看着都让人眼晕。"

"我赶去参加狮王二十八世的婚礼呢。"陶陶解释说。

费了好一会儿功夫，蜗牛师师才把自己那迷迷糊糊的思绪理清楚，她慢腾腾地说："太糟了！你完全走反了方向。"说着，她用自己的触角到处乱指一气："应该朝那

边……那里……我是说……从那里过来！不是从这边……这里……"她不可救药地陷入一团混乱中，怎么也表达不清自己的意思。

"没关系，"陶陶说，"至少我现在知道了。告诉我，到底该朝哪边走？"

蜗牛完全被自己搞糊涂了，她只好缩回自己的屋子，过了半个小时才爬了出来。

陶陶一直耐心地在一旁等着，直到师师开口。

Schnecken-Blues

蜗牛－布鲁士舞曲

　　布鲁士舞曲为一种早期爵士舞曲，该曲供钢琴三手联
弹或钢琴和低音提琴演奏。

"我的天！"蜗牛师师难过地叹了一口气，"真不幸！你应该朝南走，而不是朝北走。你完全应该朝相反的方向走。"

"非常感谢你给我指路！"说完，陶陶慢慢掉头往回走。

"可是，后天就该举行婚礼了呀！"蜗牛几乎带着哭腔地说。

"我会准时赶到的。"陶陶说。

"不可能！"蜗牛又叹了一口气，并十分担心地看着陶陶，"绝不可能！如果从一开始，你就走对了方向，也许还有点儿戏。可这会儿是绝对没有指望了。这都是白费劲。真够惨的！"

"如果你想和我一道去，就坐到我壳上来吧！"陶陶向蜗牛建议道。

蜗牛师师难过地垂下她的眼睛。

"已经没有意义了。现在去已经晚了，太晚了。我们绝对赶不上了。"

"会的，只要一步一步坚持走，一定会到的。"陶陶说。

"我现在心情很不好，"蜗牛哭哭啼啼地说，"请留下来安慰我吧！"

"可惜不行，"陶陶友好地说，"我的决定是不可改变的！"说着，她又重新朝另一个方向爬去。

蜗牛师师泪眼汪汪的，她久久地凝望着陶陶离去的身影，继续用她的触角示意，恳求乌龟留下。

就这样，陶陶朝另一个方向又走了许多天。越过了种种障碍，穿过了树林和沙地，日夜不停地赶路。

一步接一步

3. Schildkröten-Marsch

sehr langsam und beharrlich, Schritt für Schritt

Die Schild-kröt' geht durch Son - nen-glut, doch
braucht sie kei - nen Son*-nen-hut. Sie hat ihr eig - nes Dach da-bei, die
Hit*- ze ist ihr ei - ner-lei.

乌龟进行曲（之三）　　非常缓慢地、坚持不懈地、一步一步地

乌龟在烈日底下爬，不用拿帽儿盖住她。

她有一只自己的壳，不怕阳光晒坏了她。

后来，她遇到了壁虎茨茨。这会儿，他正躺在一块石头上打盹，阳光照在石头上，茨茨身上那绿宝石般的鳞片闪出耀眼的光。当乌龟靠近他时，他眯缝着一只眼睛，迷迷糊糊地说："站住！你是谁呀？打哪儿来？要上哪儿去？"

"我叫陶陶，"乌龟回答说，"我原来住在一棵古老的橄榄树下，现在想去狮子洞。"

茨茨打了个长长的哈欠。

"哎，我说，你去那儿干吗呀？"

"我去参加狮王二十八世的婚礼。因为他邀请了所有动物，当然也包括我。"陶陶说。

这时，茨茨吃惊地睁开了另一只眼睛，居高临下地打量着陶陶。

Eidechsen-Sarabande

arrogant und verschlafen

壁虎组曲　傲慢而又懒洋洋地

　　该曲供钢琴或提琴和钢琴演奏。重复时可以高八度。此外，在演奏整个组曲时，可以用葡萄酒杯的碰撞声来模拟表示强烈的阳光。

过了一会儿，他才用带鼻音的声音说："我的决定是不可改变的！"说完，她从右边
"现在还往那儿赶？——亏你这可怜虫想得绕过壁虎，继续往前爬去。
出来！"

茨茨愣住了，嘴里不断唠唠叨叨地说：
"只要坚持，一步一步总能走到的！"陶"你应该好好想一想……再好好想一想……"
陶说。

就这样，陶陶又走了很多天。越过种种
茨茨一边用双肘支撑着身体，一边拿小障碍，穿过了树林和沙地，日夜不停地赶路。
脚爪敲着石头说："哎，你是说，你要用这种
慢悠悠的方式，赶去参加一次也许一个星期我已下定决心
前就已经举行过的婚礼吗？"

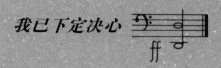

"也许？婚礼难道在一个星期前就举行
了吗？"陶陶问。

"没有。"茨茨懒洋洋地说。

"太好了！"陶陶高兴地说，"那我就能
准时赶到了。"

"肯定赶不上的！作为狮王王宫的高级
官员，我现在正式通知你：婚礼暂时取消了。
由于非常突然的原因，狮王二十八世不得不
和老虎斯斯开战。你现在可以放心回家了。"

"很遗憾，我不能这样，"陶陶回答说，

4. Schildkröten-Marsch

sehr langsam und beharrlich, Schritt für Schritt

Die Schild-kröt' geht, wo — hin sie mag, in
tie - fer Nacht, am hel* - len Tag. Für an - dre hat es kei - nen Sinn, des-
we - gen geht sie trotz - dem hin.

乌龟进行曲（之四）

非常缓慢地、坚持不懈地、一步一步地

乌龟想走她就出发，白天和黑夜都不怕。
她对什么都无所谓，只一心一意往前爬。

当她穿过一片岩石荒漠时，遇见了一群乌鸦，他们蹲在一棵干枯的树上，一副闷闷不乐的样子。陶陶停了下来，想问问路。

"阿嚏！"陶陶还没张口问，一只乌鸦便发出一种像打喷嚏一样的声音。

"祝你健康！"陶陶友好地打招呼。

"我没有打喷嚏，"乌鸦不高兴地说，"我只是作一下自我介绍。我是智者阿嚏。"

"啊，对不起！"乌龟说，"我叫陶陶，是一只普普通通的乌龟。请告诉我，智者阿嚏，去狮王二十八世的宫殿，是从这儿走吗？我应邀去参加他的婚礼。"

乌鸦们彼此交换了一下意味深长的目光，发出了一种低沉的声音。

"我也许可以告诉你它在哪儿，"阿嚏解释道，并用爪子搔了搔头，"但是，这对你已经毫无意义了。我们伟大的狮王现在所在的地方，就连我们这些有头脑的智者都去不了。可你这可怜的、无知的小爬虫，以你这种短浅的见识，你怎么可能找到去那儿的路呢？"

"只要坚持，一步一步总能走到的！"陶陶固执地说。

乌鸦们又一次彼此交换了一下意味深长的目光，发出一种低沉的声音。

Raben-Gesang

Der grim - mig Tod mit sei — nem Pfeil   thut nach dem Le - ben zie - len

乌鸦之歌　欢快、敏感地

　　可怕的死亡对生命
射出了致命一箭。

"啊，你这鬼迷心窍的家伙！"乌鸦阿嚏郑重其事地清了清嗓子说道，"你在说什么呀？！这事早就过去了。而过去的事情是谁也赶不上的。"

　　"我会准时赶到的！"陶陶充满信心地说。

　　"绝对不可能了！"阿嚏用阴森低沉的声音说，"你难道没看见，我们大家都穿着丧服吗？几天前，我们刚刚安葬了伟大的狮王二十八世。他在与老虎斯斯的拼杀中身负重伤，已经不幸去世了。

　　"啊，"陶陶说，"这真的使我感到非常难过。"

　　"所以，你还是赶紧回家去吧！"阿嚏继续说道，"或者你也可以留下来，和我们一起哀悼狮王。"

　　"很遗憾，我不能这样。"陶陶客气地回答说，"我的决定是不可改变的！"说完，她又重新上路了。

　　乌鸦们疑惑不解地看着乌龟的背影，然后凑在一起叽叽呱呱地说："这个固执倔强的家伙！她居然想去参加一个早已死去的人的婚礼。"

　　就这样，陶陶又走了许多天。越过种种障碍，穿过了树林和沙地，日夜不停地赶路。

5. Schildkröten-Marsch

sehr langsam und beharrlich, Schritt für Schritt

Die Schild-kröt' ist kein Rap*-pel-Zug, ihr
geht es im-*mer schnell ge-nug. Auch wenn es lan-ge dau-ern kann, dort
wo sie an-kommt, kommt sie an.

* sing: Ra-ppel, i-mmer

乌龟进行曲（之五）　　　非常缓慢地、坚持不懈地、一步一步地

乌龟不是个大傻瓜，她会快快地往前爬。
不管她爬得有多久，她会到达，她会到达。

后来，她来到了一片森林中，这里树木茂盛。森林的中间，有一大片鲜花盛开的草地。草地上聚集了许多动物：大大小小，男女老少。大家都兴高采烈，充满期待的喜悦。

一只小金丝猴在陶陶身旁上蹿下跳，不停地鼓掌。"啊，对不起，"陶陶对小猴说，"去狮子洞该怎么走？"

"你现在不是就站在洞口面前吗？"小猴叫道（他叫杰杰，不过在这里名字已经不再重要了），"对面就是狮子洞！"

"啊，那么，也许这里正在庆祝动物王国的最高首领——狮王二十八世的婚礼？"

陶陶非常不解地问。

"啊，不是！"小猴说，"你肯定是从很远的地方来的吧！大家都知道，今天，我们大家在这里庆祝的是狮王二十九世的婚礼。"

就在这时，狮子洞口出现了一只英武的年轻狮子，身上蓬松的鬣毛像太阳光一样闪闪发亮。他的身旁站着一只美丽动人的年轻母狮。

所有的动物都向他们欢呼："万岁！新王和王后万岁！"随后，大家便开始唱歌的唱歌，跳舞的跳舞，大吃大喝，一直狂欢到深夜。萤火虫送来了点点光明，夜莺放开美丽的歌喉，蟋蟀弹奏出优美的音乐。总而言之，这的的确确是从未有过的、最美好的庆典。

乌龟陶陶坐在参加庆典的客人中间，虽然有些疲劳，但感到非常幸福，她说："我一直说，我会准时赶到的！"

Schildkröten-Boogie

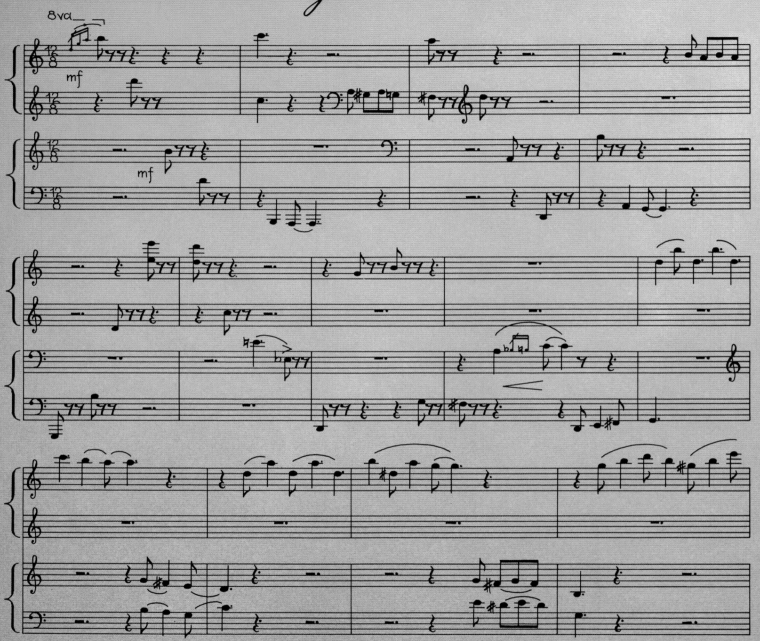

乌龟－布吉

布吉为爵士乐的一种，用钢琴演奏。

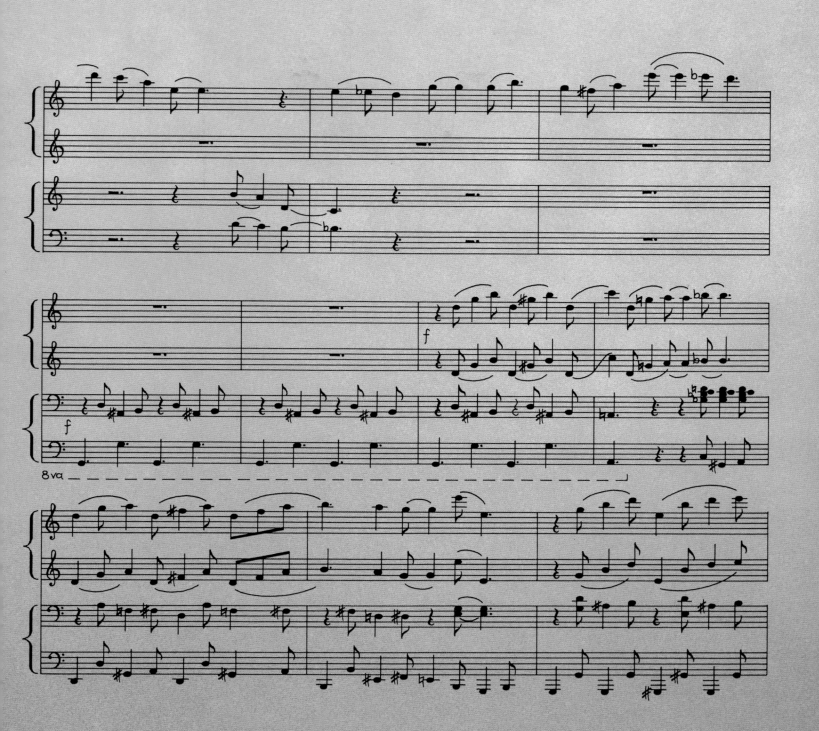

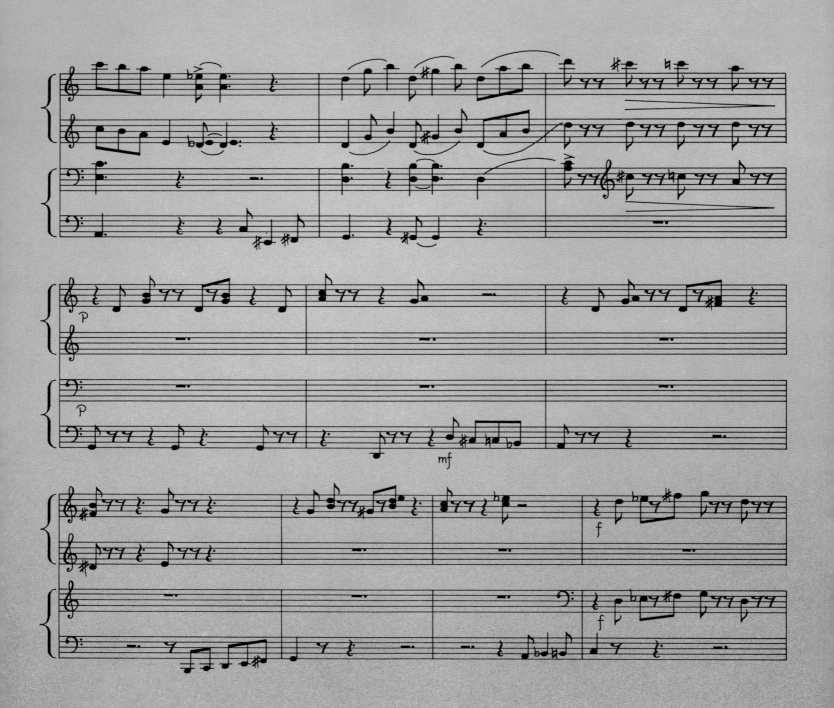

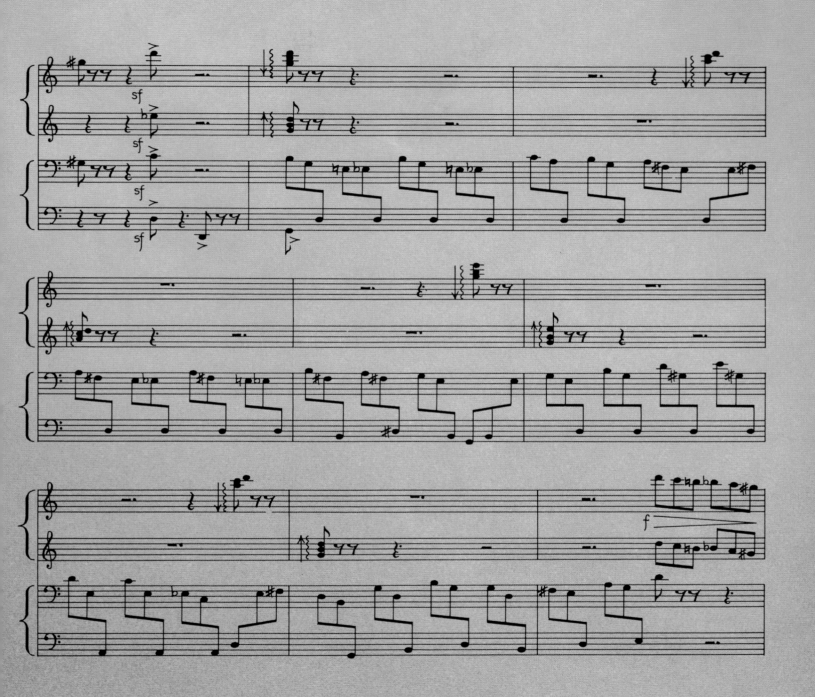

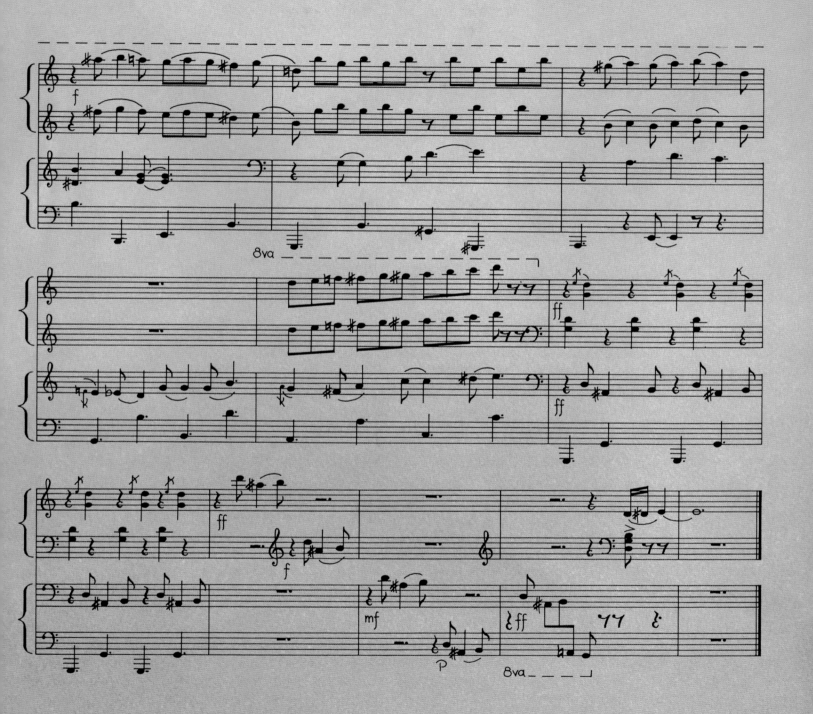

Harris County Public Library
Houston, Texas

米切尔·恩德 （1929-1995）德国当代最优秀的幻想文学作家，德语国家的文学评论界称赞他"在冷冰冰的、没有灵魂的世界里，为孩子也为成人找回失去的幻想与梦境"。他的一些著作，如《毛毛》和《永远讲不完的故事》等已经成为世界名著并为中国读者所熟知。他是一位多产的全方位的作家，作品被译成近 40 种文字，总印数超过 3000 万册，在世界范围产生了广泛的影响。

曼弗雷德·施吕特 1953 年生于德国凯林胡森，为德国当代著名画家。他从小酷爱绘画，曾在印刷厂当学徒，后来，在高等学校接受了工艺美术的专门教育，长期从事儿童图画书的创作，其作品曾多次荣获德国和欧洲各类大奖，曼弗雷德·施吕特现和他太太，以及三个孩子、一只猫生活在北海边的一个小镇上。

威尔弗里德·希勒 1941 年生于德国威森荷伦，从小爱好戏剧和音乐，6 岁起迷上了木偶剧。后曾在奥格斯堡和慕尼黑学习音乐创作，经过多年的艺术实践，使其成为了德国著名的作曲家，其作品多次荣获施特劳斯奖，慕尼黑音乐促进奖、萨尔茨堡音乐成就奖。